Hello Kitty × F.W.Nietzsche

ハローキティの ニーチェ

強く生きるために大切なこと

朝日文庫

はじめに

19世紀のドイツの哲学者
フリードリヒ・ヴィルヘルム・ニーチェ。
名前は聞いたことがあるという人も多いはず。

「哲学」って聞くと、難しそうと思って
敬遠しちゃうけど、ニーチェは、
「私たちはどう生きていけばよいのか」
という問いに真剣に向き合っていた人。

だから、彼の考え方には、
明日から、前向きになれるヒントがいっぱい。

彼の書いた一番有名な本
『ツァラトゥストラはこう言った』の世界を
キティと一緒に旅してみませんか？

「頑張っても、何をやっても、結局は無駄」
そんな気持ちを超えていきましょう！

何度、生まれ変わっても、
今の自分みたいに生きたいと思えるよう、
自分の生き方は、自分で決めましょう！

そう思える、あなたになるために、
さあ、最初のページを開いて……。

13 人生はさながら、旅のようなもの。
自分という人生を体験する、終わりのない旅。

14 あなたが願いさえすれば、
人生はきっと、思いのままに歩くことができる。

15 「できる！」って、あなたが信じたら、きっとできる。

16 アタマよりもカラダのほうが、ときに賢い。

17 「良い」とか「悪い」とかつまらない言葉で
割り切るには世界って本当に広すぎる。

18 本気で伝えたいと思うなら、あなたの気持ちは
きっと伝わる。そして、運命は変わっていく。

19 今、この瞬間を愛してみよう。
そうでなくっちゃ、つまらないでしょ？

20 どんな経験も、未来につながる。

21 よくばりに生きよう。恋も仕事も、あなたが考える全部を。

22 愛という大事なものを、他人任せにしていない？

23 人って知らないうちに、過去に縛られているみたい。

24 明日は今日より、良い日かもしれない。
だから、信念を曲げないで。

25 どうしていいかわからなくて
もし立ち止まってしまったら、勇敢でいるほうを選ぼう。

27 ライバルにするならお互いに高めあえる人を。

28 人生を愛してみたら？
それは、あなたにとって希望になるから。

29 ルールに従うだけの人生でいいの？

30 孤独から逃げていても、ずっと孤独なまま。

31 仕事がしたくないのは、仕事がイヤなんじゃなく、
仕事を知らないだけ。

32 何があっても、味方でいてくれる。
そんな友だち、いますか？

33 友情というものは、恋よりもっと複雑。

34 友だちのイヤなところは自分自身の嫌いなところ。

35 友だちの前では一番ステキな自分でいよう。

36 運命って、流されるしかないと思いがちだけど
私たちって、もっと自由。

38 さみしさを、ごまかさないようにしよう。

39 人のために尽くす人よりも自分を愛する人であろう。

40 ほんの小さなことでも、目に見えないことでも、
変わることにきっと意味がある。

41 本当の気持ちはほしいものを手に入れる魔法の杖。

42 “出る杭”に、なってみたっていいんじゃない？

43 誰よりも、手ごわい敵って知っている？
それは、あなた自身。

61 美しさは、自分が物足りないくらいがちょうどいい。

62 未来を見ることはできないけれど、
未来の種はあなたの中にある。

63 過ぎ去った日を悔やむよりそこに“意味”を見つけよう。

64 点と点を、線でつなぐと新しい風景が広がっていく。

65 あらゆることを怖がっていたら
目の前にある幸せにも気づかない。

66 自分を素晴らしいと思っている人より
一生懸命、頑張っている人のほうがいい。

67 偶然は、偶然じゃなくて起こるべくして起こる。

68 自分を甘やかしすぎると魅力も能力も、
輝きを失ってしまう。

69 多くのものを見るために自分の思い込みを捨てよう。

71 不安を感じたら少し勇気を出してみて。

72 「普通」を目指していたら「普通」よりも下になるよ。

73 心と体が別の方向に向かっていたら
いつまで経っても、そこから動けない。

74 すべての人に好かれなくたって、別にいいじゃない？

75 他人に親切にしようと思うのは自分が弱いから、
かもしれない。

76 目の前のことに振り回されないようにするには
自分の中でよく噛み砕くこと。

77 小さなことにとらわれすぎないで。

78 誰よりも、何よりも、自分をちゃんと愛してあげよう。

79 不運に見舞われても、心は誰も傷つけられない。
だから、不運を恐れすぎないで。

80 孤独でない人など、どこにもいない。
誰もが、それぞれ孤独を感じている。

81 終わってしまった愛にしがみつかないこと。

82 あなたがあなたを愛したら、
生きることはとても簡単になる。

83 自分を押さえつけたって良いことは何一つない。

85 自分にとって大切なものは、
自分ですら気づかないことがある。

86 あなたひとりで頑張りすぎないで。

87 少しずつ、少しずつ。もどかしくても、
つまらなくても、前へ進む自分をホメてあげよう。

88 人生は真っ白なキャンバスに
自由に絵を描くようなこと。

89 愛を語るなら、愛し合うことより、
愛し続ける試みを語ろう。

90 最悪でも、最善でも、どっちもたかが知れたこと。

91 わかったつもりになることはわからないことよりキケン。

92 「いつかは……」と思っているうちは
“いつか”なんて、永遠にこない。

93 小さな幸せをちゃんと喜ぼう。

94　悲しくて悔しくて、どうしようもないときは
自分を誇りに思おう。

95　「やるべきこと」を見つけるのもいいけれど
「やらないこと」を見つけるのも大事。

96　知識や経験がないからこそできる冒険もある。

97　見せかけの大胆さで自分をごまかさない。

98　すべての言葉は、口から出てしまえばもう、取り戻せない。

99　ミラクルを期待しても、
自分の能力以上のことは起こらない。

100　きれいにラッピングしたって、
虫食いのりんごは、虫食いのまま。

101　みんなの「当たり前」を、「当たり前」なんて思わなくていい。

102　嘘をつかないからって、誠実ってわけじゃない。

103　地道な努力が報われる日は必ずやってくる。

104　人のために何かをするより、
自分がしたいことをするほうが、ずっとハッピー。

106　スルーするのも、大切な能力。

107　やるべきことは、いっぱいある。
仕事を愛そう。自分の生き方を、愛そう。

108　「いいことないかな」と思っているうちは
いいことは起こらない。

109　人生の先輩を持とう。

110　人は、さみしいとおかしくなる。

111　何かダメなことがあってもあなたがダメってことじゃない。

112　自分の中で化学反応を起こそう。

113　幸せが見つからないのは捜し方が
良くないだけかもしれない。

114　いろんな愛のスタイルがあっていい。

115　恋がうまくいく方法はたったひとつ。

116　廻り道にだって、意味がある。

117　アンラッキーを飛び越えよう。

118　未来を選ぶのは、いつだってあなた。

119　他人からどう見えるか、なんて考えなくてもいい。
全力で幸せをつかもう。

121　自分で道を切り開こう。不可能はきっと、可能にできる。

122　涙のあとには、必ず良いことがある。

123　幸せを失うことを恐れるより
幸せが永遠に続くように願おう。

124　幸せは、悲しみのあるところに少しだけ早くやってくる。

125　人生は、私たちに与えられたかけがえのないギフト。

126　さぁ、扉を開いて外に出よう！

ENTER

人生はさながら、
旅のようなもの。
自分という人生を体験する、
終わりのない旅。

これからの毎日、あなたが経験することはあなたの人生という大地を歩く旅。旅先で出会う、いろいろな風景はすべて、自分をより深く理解するための、意味のあるもの。

おまえはおまえの偉大をなしとげる道を行く。これまでおまえを待ちぶせる最後の危険と呼ばれてきたものが、いまはおまえが逃げこむ最後の避難所となった！『第三部　旅びと』

あなたが願いさえすれば、
人生はきっと、
思いのままに歩くことができる。

幸せを願うことは、あなたを自由にしてくれる。強く願うことで、あなた自身も、運命も、変えていくことができるはず。

意志することは、解放する、自由にする。『第二部　至福の島々で』

「できる！」って、あなたが信じたら、きっとできる。

困難な壁に立ち向かっても、自分を信じてやってみて。信じることで、心は今よりもっと強くなるから。

そうだ、創造の遊戯のためには、わが兄弟たちよ、聖なる肯定が必要なのだ。ここに精神は自分の意志を意志する。世界を失っていた者は自分の世界を獲得する。『第一部　三段の変化』

アタマよりもカラダのほうが、ときに賢い。

よく考えることはとても大切だけど、考えているだけじゃ、道に迷っても気づかない。実際にやってみてわかったことのほうが、ずっとずっと、自分のためになる。

あなたの最善の知恵のなかよりも、あなたの身体のなかに、より多くの理性があるのだ。『第一部　身体の軽蔑者』

「良い」とか「悪い」とか
つまらない言葉で割り切るには
世界って本当に広すぎる。

白黒はっきりつけられることばかりじゃない。グレーな領域があったっていい。あなたの中のグレーを大切にしよう。

あなたの徳は、馴れ馴れしい名前で呼ばれるには、あまりに高貴なものであらねばならない。『第一部　喜びの情熱と苦しみの情熱』

本気で伝えたいと思うなら、
あなたの気持ちはきっと伝わる。
そして、運命は変わっていく。

気持ちを伝えるときは、きれいな言葉で飾り立てなくたっていい。おもしろくなくたっていい。ストレートに熱意をぶつければ、きっと相手はわかってくれる。

血をもって書け。そうすればあなたは、血が精神だということを経験するだろう。『第一部　読むことと書くこと』

今、この瞬間を愛してみよう。そうでなくっちゃ、つまらないでしょ？

人生、晴れの日ばかりじゃない。でも辛い思いをするためだけに生まれたわけじゃないから、雨の日も曇りの日も愛してみようよ。

われわれが生きることを愛するのは、生きることに慣れたからではない。むしろ愛することに慣れたからだ。『第一部　読むことと書くこと』

どんな経験も、未来につながる。

つまらないことでも、やってみよう。難しいことでも、頑張ってみよう。あなたが重ねたささやかな努力が、「不可能」を「可能」にする日がやってくるから。

わたしは歩くことをおぼえた。それからはわたしはひとりで歩く。わたしは飛ぶことをおぼえた。それからは、わたしは飛ぶために、ひとから突いてもらいたくなくなった。いまはこの身は軽い。いまはわたしは飛ぶ。いまはわたしはわたしをわたしの下に見る。いまはひとりの神が、わたしとなって踊る思いだ。『第一部　読むことと書くこと』

よくばりに生きよう。
恋も仕事も、
あなたが考える全部を。

恋は、結婚がゴールじゃない。仕事も、「成功」で終わりじゃない。明日を夢見ることをやめないで、次の一歩を踏み出そう。

自由を手にいれた精神も、さらに自己を浄化しなければならない。（中略）かれの眼はさらに純粋にならなければならない。『第一部　山上の木』

愛という大事なものを、他人任せにしていない？

「愛してほしい」そんな風に思うのは、自分以外の他人に運命を託してしまうこと。それってちょっと、不安じゃない？　自分から愛そう。運命の舵は、自分で握ろう。

あなたの愛と希望とを投げ捨てるな！『第一部　山上の木』

人って知らないうちに、過去に縛られているみたい。

時間はどんどん過ぎていくのに、ときどき、人は考えること、歩くことをやめてしまう。過ぎ去った日ばかりを見るのはやめて、自分の道を、自分で切り開いていこう。

高貴な者は新しいものを求め、ひとつの新しい徳を創造しようとする。善人のほうは、古いものを愛し、古いものが保持されることを願うものだ。『第一部　山上の木』

明日は今日より、良い日かもしれない。だから、信念を曲げないで。

想いを貫くことは、とても大変。たったひとりの、孤独な闘いでもある。それを捨てても生きてはいけるかもしれないけれど、あなたがあなたであるために、守り続けて。

あなたの魂のなかの英雄を投げ捨てるな！　あなたの最高の希望を聖なるものとして保ってくれ！『第一部　山上の木』

どうしていいかわからなくて
もし立ち止まってしまったら、
勇敢でいるほうを選ぼう。

進む？　それともやめておく？　捨てる？
それともキープしておく？　どんなことでも、幸せになれるのはあなたが、より勇敢でいられるほうの選択肢。

勇敢であることが善いことである。『第一部　戦争と戦士』

POP

ライバルにするなら
お互いに
高めあえる人を。

軽蔑する人をライバル視しても、何一つ良いことなんてない。競争すら誇りに思えるような、どちらが勝っても、喜び合えるような、そんなライバルを選ぼう。

あなたがたは、憎むべき敵をのみ、持つべきである。軽蔑すべき敵を持ってはならない。あなたがたはあなたがたの敵を誇りとしなければならない。そのときはあなたがたの敵の成功が、あなたがたの成功ともなる。『第一部　戦争と戦士』

人生を愛してみたら？
それは、あなたにとって
希望になるから。

他の人を羨むよりも、手に入らないものに憧れるよりも、自分の人生を愛そう。その気持ちを大事にしていれば、きっと大丈夫。

あなたがたの人生への愛が、あなたがたの最高の希望への愛であれ！　そして、あなたがたの最高の希望は、人生の最高の思想であれ！『第一部　戦争と戦士』

ルールに従うだけの人生でいいの？

ルールを守ることは大切。でももっと自由に考えてみよう。可能性にフタをするのをやめれば世界は回り始めるし、まわりの人も、変わり始めるから。

真に偉大なのは創造する力である。『第一部　市場の蝿』

孤独から逃げていても、ずっと孤独なまま。

友だちが何人いても、誰と一緒にいても人は簡単に、孤独を感じる。自分以外の場所に、孤独からの逃げ場所を求めるよりも、しっかり、向き合ってみよう。

わが友よ！　のがれなさい、あなたの孤独のなかへ。（中略）のがれなさい！　強く、雄々しい風の吹きわたるかなたへ。『第一部　市場の蠅』

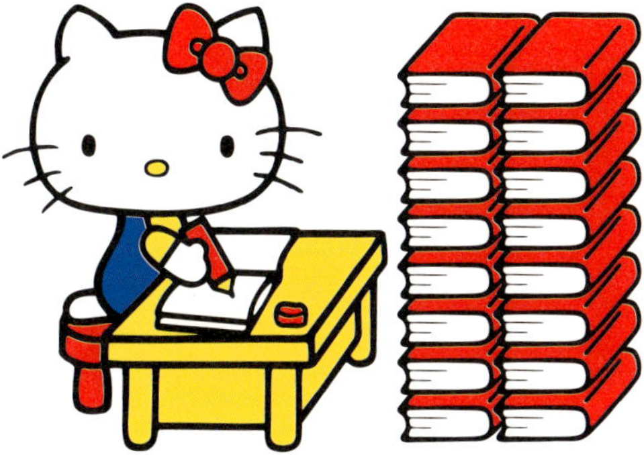

仕事がしたくないのは、
仕事がイヤなんじゃなく、
仕事を知らないだけ。

もっと成長したい、もっとスキルを身に着けたい。そう思わない人はいないはず。イヤだって投げ出す前に、仕事のことをもっと知ろう。欲しいものはいつだって、わかりにくいところにあるんだから。

認識に生きる者が、真理の水のなかにはいるのをいとうのは、真理が汚らわしいときではなく、真理が浅いときである。『第一部　純潔』

何があっても、味方でいてくれる。
そんな友だち、いますか？

つながっただけで「友だち」。そんな時代だからこそ、「何があってもあなたの味方」と言える関係を大切にしよう。友だちに、そう言ってもらえる自分になろう。

友を持とうと思う者は、その友のために戦おうと思わなければならない。そして戦うためには、人の敵となることができなければならない。『第一部　友』

友情というものは、
恋よりもっと複雑。

長続きする友情とは、お互いに切磋琢磨していける関係です。憧れも敵意も一緒くたにして、それでいて勝っても負けても、敬える関係を大切に。

友のなかにも敵を見て、この敵を敬わなければならない。『第一部　友』

友だちのイヤなところは
自分自身の嫌いなところ。

「あの人のココが許せない」と思うとき、ちょっと自分を振り返ってみて。自覚したくない、自分のイヤなところを相手に投影しているだけかも……。

友のなかに、自分の最善の敵を持たなければならない。あなたがかれにさからうとき、あなたの気持が、かれにもっとも接近していなければならない。『第一部　友』

友だちの前では
一番ステキな自分でいよう。

友情のために大切なことは、ありのままの自分でいることじゃない。友だちに憧れられるようなあなたでいること。

あなたは、友のためには、どんなにわが身を美しく飾っても飾りすぎることはない。なぜなら、友にとって、あなたは超人への矢であり、あこがれであるべきだから。『第一部　友』

運命って、
流されるしかないと
思いがちだけど
私たちって、もっと自由。

運命は定まっているもので、抵抗することなんてできない。そんな風に、思っていないですか？　本当は、そうじゃない。「この運命は、私が選び取ったものだ」と思えれば、あなたの人生は、あなたのものになる。

評価することが、創造することなのである。（中略）評価によってはじめて価値が生じる。『第一部　千の目標と一つの目標』

さみしさを、
ごまかさないようにしよう。

さみしさの穴埋めをしようとしても、孤独な気持ちはなくならない。まず、あなた自身を愛して。

あなたがたの隣人への愛は、あなたがた自身への愛がうまく行かないからだ。『第一部　隣人への愛』

人のために尽くす人よりも自分を愛する人であろう。

「人のために」と行動する人は一見美しいけれどそれは、上から目線や同情で行うこと。本当は、自分が愛されたいがためにやっている人も多い。自分を愛し、尊重することを優先できるとみんながハッピーになれる。

むしろ、わたしは隣人から逃げること、遠人への愛、を勧める！
『第一部　隣人への愛』

ほんの小さなことでも、
目に見えないことでも、
変わることにきっと意味がある。

夢を見ているだけじゃ、何も始まらない。無理かもと思ってしまうのは、まだまだ早い。遠い未来に向けて、最初の一歩を踏み出そう。友だちの、ステキなところをマネしてみよう。

最も遠い未来を、あなたの今日の原因としなければならぬ。あなたの友の内部に、あなたはあなたの原因としての超人を愛さねばならぬ。『第一部　隣人への愛』

本当の気持ちは
ほしいものを手に入れる
魔法の杖。

好きなことを、しっかり見よう。人の目を見て、気持ちを伝えよう。あなたが自由でいるために。

あなたの眼ははっきりと、わたしに告げなければならない。何をめざしての自由であるかを！『第一部　創造者の道』

“出る杭”に、なってみたって いいんじゃない？

まわりの人と違うことをするのに遠慮する必要なんてない。とやかく言いたがる人は、いつだって何もしない人なんだから。

飛ぶ者ほど、飛べない者に憎まれる者はない。『第一部　創造者の道』

誰よりも、手ごわい敵って知っている？ それは、あなた自身。

今までもこれからも、あなたが立ち向かう一番の敵はほかならぬ自分自身。逆に言えば、勝とうと思っているのならこんなに有利な戦いはない。

あなたが出会う最悪の敵は、いつもあなた自身であるだろう。『第一部　創造者の道』

愛はキレイゴトだけじゃない。そう気づいたときが、愛のはじまり。

好きで好きで、好きになりすぎて自分で自分を見失ってしまうこともある。そんな自分を、嫌いにならないで。キレイゴトしか知らない人が、愛することを理解できるはずがない。

愛すればこそ、おのれの愛の向かうところを軽蔑せざるをえなかった者、そうした者でなければ、愛について何がわかるだろう！
『第一部　創造者の道』

宝石みたいにキラキラした人ってステキ。

自分の良いところを、いっぱい見つけよう。思い込みだっていいじゃない。その自信が、あなたをキラキラと輝かせるはずだから。宝石みたいに、人を惹きつけてやまないはずだから。

（筆者注：女性は）そのかがやきを映した宝石にひとしいものでありなさい。『第一部　老いた女と若い女』

言いたい人には言わせておけば？

「私が正しい」「そんなの嘘に決まってる」なんて思うことがあっても、背筋を伸ばして黙っていよう。本当のことは、必ず明るみに出るのだから。

自分が正しいと主張するより、不正を受けとっておくほうが高貴である。『第一部　蝮の咬み傷』

出口の見えないトンネルで、
あなたを
導いてくれるのは？

愛は欲しがるものでも、与えるものでもなくて、あなたを導いてくれるもの。どんなに暗く長いトンネルの中にいても、目指す方向を照らしてくれるもの。

それ（筆者注：最上の愛）はあなたがたを、より高い道へと照らす松明《たいまつ》であるべきなのに。『第一部　子どもと結婚』

愛の中には悲しみや苦しみも
混ざっている。
だからこそ、愛せる人は強い。

本当に誰かを愛するからこそ、悲しみや、苦しみは生まれてしまう。でも、だからこそ、人は強くなれるのかもしれない。

最上の愛の杯のなかにも、苦いものはある。だからこそ、それは超人へのあこがれを生みだすのだ。『第一部　子どもと結婚』

人のマネばっかりしていては
いつまで経っても
「私」になれない。

恋も人生も、お手本なんてない。最初は誰かを目指していても、自分の道を歩き始めることを決して忘れることのないようにしよう。

いつまでもただの弟子でいるのは、師に報いる道ではない。なぜあなたがたは、わたしの花冠をむしりとろうとはしないのか?『第一部　贈り与える徳』

つまらないことに
とらわれていると、
人としてつまらなくなる。

考えてもどうにもならないことや、見栄や虚栄心は、人を惑わすだけ惑わして、何も生まない。そんなもの、放っておいたほうが人生はずっと楽しい。

ちっぽけな考えは、菌類《きんるい》に似ている。それは這いまわり、もぐり、どこにも見あたらなくなる。——それでついには、このちっぽけな菌類のために全身が腐り、衰弱してしまう。『第二部　同情者たち』

人生は
自分で舵をとろう。

人に言われた通りに動いても、誰かのマネをしても、いつかまた、自分に向き合うことになる。だったら、今この瞬間から自分のしたいことをしよう。

ああ、わが友人たちよ！　母が愛児のなかにあるように、あなたがたの真の「おのれ」が行為のなかにあるようにしてほしい。『第二部　有徳者たち』

「良い」も「悪い」も
価値観は自分で決めるもの。

自分の判断を、押しつけがちな人にいちいち付き合うことはない。いつだって優先すべきなのは、あなたの価値観。

ひとを罰しようという衝動の強い人間たちには、なべて信頼を置くな！『第二部　毒ぐもタランテラ』

自分が正しいと
言いたいときは
本質から目を背けているとき。

人に向かって、自分の正義を主張したいとき。そういうときは気をつけて。なぜ主張しなければ伝わらないのか？　本当に大事な事実から目を背けているときが多いから。

自分の正義をしきりに力説する者すべてに、信頼をおくな！『第二部　毒ぐもタランテラ』

どんなに美しいものであっても
矛盾を抱えていない
ものはない。

美しく見えることや、幸せそうに見えること。それらに憧れるときは、忘れないで。不平等や矛盾、逃げ、想像もし得ないくらいの“戦い”がそれらを作り上げたということを。

美のなかにも、闘争と不平等があること、力と優越を求めてやまぬ戦いがあること、このことを、かれはきわめて明瞭な比喩で、ここでわれわれに教えてくれている。『第二部　毒ぐもタランテラ』

苦しんだり、
悩んだりした分だけ
心は強くなる。

気の持ち方は人にとって、一番大切なもの。苦しんだり、悩んだりすることを決して恐れないで。その分、きっと強くなるから。

精神とは、みずからの生命《いのち》に切りこむ生命《いのち》である。それはみずからの苦悩によって、みずからの知を増すのだ。『第二部　名声高い賢者たち』

あなたの気持ちは
誰も傷つけることはできない。

「心が傷ついた」ってよく言うけれど、本当にあなたの心を傷つけることができるものは何一つない。どんなに鋭い、言葉のナイフであっても。

そうだ、傷を負わせることのできないもの、葬ることのできないものが、わたしのなかにある。岩をも砕くものがある。それはわたしの意志だ。『第二部　墓の歌』

自分からやろうと
思ったことには命が宿る。

あなたが頑張ろうと思ってすることは、どんな小さなことであっても、輝きを放っている。それはきっと、幸運を引き寄せる灯台になる。

わたしが生あるものを見いだしたかぎり、そこにはかならず力への意志があった。『第二部　自己超克』

生きるとは、その一瞬一瞬、
真剣に前へ進む方法を
探すこと。

生きることは、「どんな人生にしたい？」と自分に問いかけ、答えを探しながら前進すること。流されるままに生きても同じ時間だけど、手に入れる幸せは、まったく異なる。

生のあるところにのみ、意志もまたある。『第二部　自己超克』

自分にとって何が大切か
常に見失わないで。

何が好きで、何が嫌いか。何がアリで、何がナシか。人が変われば、見方も変わる。だから、いつも自分の価値観で考えるようにしよう。明日の服も、恋も、生き方もね。

およそ生きることは、趣味と嗜好をめぐっての争いである！『第二部　悲壮な者たち』

美しさは、自分が物足りないくらいがちょうどいい。

メイクやファッションで飾りたてて、個性をアピールするのは楽しいけれど本来、「美」というものはほんのわずかなこだわりが一番、魅力的に見えるもの。

（筆者注：美は）ほんのわずかに多いか、少いか。それが美の場合には物を言うのである。それが最大に物を言うのである。『第二部　悲壮なものたち』

未来を見ることは
できないけれど、未来の種は
あなたの中にある。

どんなに頑張っても、今、この瞬間と過去のことしかわからない。未来なんて、想像することしかできない。でも、不安がらないで。未来を幸せなものにできる能力は、あなたの中にあるのだから。

わたしは今日のものであり、過去のものだ。しかし、わたしの内部には、或るものがある。それは明日のものであり、明後日のもの、またさらに未来のものである。『第二部　詩人』

過ぎ去った日を
悔やむより
そこに“意味”を見つけよう。

過去を悔やんでも、どうにもならない。起きてしまったことは、取り返しがつかない。けれど、過去から学んだりそこに意味を見つけようとすればどんな失敗も、経験も、あなたの糧になる。

過ぎ去った人間たちを救済し、すべての『そうであった』を、『わたしがそのように欲した』につくりかえること――これこそ私が救済と呼びたいものだ。『第二部　救済』

点と点を、線でつなぐと
新しい風景が広がっていく。

撮った時期も、場所も全部一緒くたにしてしまった写真。アルバムにまとめれば、人生が見えてくる。すべての経験や記憶をつなげてみよう。まだ見えていない、大切なものが見えてくるかも。

『そうあった』は、すべて断片であり、謎であり、残酷な偶然である、――創造する意志がそれに向かって、『しかし、わたしが、そうあることを意志した！』と、言うまでは。『第二部　救済』

あらゆることを怖がっていたら
目の前にある幸せにも
気づかない。

新しい体験をするのは、誰だって不安。でも、怖がってばかりいたら愛にも、友情にも、成功にも近づけない。さあ、怖がらずに飛び込んでみよう。きっと大丈夫だから。

わたしの第一の処世の術は、自分がだまされるままになるということである。『第二部　処世の術』

自分を素晴らしいと思っている人より一生懸命、頑張っている人のほうがいい。

自分に誇りを持って生きる人よりも自分はまだまだと考えて、「自分にしかない何か」を探す人のほうがいい。不器用でも、回り道ばかりでもきっと、人生は豊かだ。

わたしの第二の処世の術は、こうである。わたしは虚栄心のつよい者のほうを、誇りの高い者よりも、大事にする。『第二部　処世の術』

偶然は、偶然じゃなくて起こるべくして起こる。

喜びも悲しみも、繰り返される。偶然すら、偶然ではなくて過去の経験の繰り返し。だから今を、大切に生きよう。

偶然がわたしを見舞うという時期は、もう過ぎた。いまからわたしが出会うのは、何もかもすでにわたし自身のものであったものばかりだ！『第三部　旅びと』

自分を甘やかしすぎると
魅力も能力も、
輝きを失ってしまう。

自分に厳しくなろう。人を惹きつけてやまない魅力や、輝くような能力は、自分を甘やかしていては発揮する方法を忘れてしまう。

たえず自分をいたわるものは、ついにはその多大のいたわりのおかげで、病弱となる。『第三部　旅びと』

多くのものを見るために
自分の思い込みを
捨てよう。

人は誰でも、自分が見たいようにものを見ている。意識して、自分のフィルターを捨てれば、もっともっと、たくさんのものが見えてくる。

多くのものを見るためには、おのれを度外視することが必要だ。
『第三部　旅びと』

ICE CREAM
1 PLAY
50¢
ELEPHANT

不安を感じたら
少し勇気を出してみて。

心配事に胸を痛めて、眠れない日もある。遠い先のことが、急に心配になることもある。不安から逃れたいなら、少しの勇気を胸に持とう。不安の原因は消えなくても、負担が軽くなることがある。

勇気にまさる殺し屋はない。『第三部　幻影と謎』

「普通」を目指していたら「普通」よりも下になるよ。

いつも周囲を見回して、みんなと同じにしようと思っていない？　普通を目指していると、普通にすらなれない。勇気を出して、出る杭になろう。

かれらは小さくなった。そしてますます小さくなる、——　かれらは、かれらが幸福と美徳について抱く見解のせいで、そうなったのだ。『第三部　小さくする美徳』

心と体が別の方向に向かっていたらいつまで経っても、そこから動けない。

心の声に耳をふさいで、本心とは違う行動をとってしまうことは、誰にでもあること。でも、そんな自分を責めないで、立ち止まってよく考えてみよう。これから、どちらに進むのかを。

足と目には、たがいに嘘があってはならない。『第三部　小さくする美徳』

すべての人に
好かれなくたって、
別にいいじゃない？

みんなに好かれようとして、気を遣って「いい人」なんて呼ばれても、ただ疲れてしまうだけ。他人の評価なんて、気にするほどのものじゃない。本当に好きな人を大切にしよう。

だれにも親切をつくすというわけだ。これは、臆病というものだ。たとえ「美徳」と呼ばれようと。『第三部　小さくする美徳』

他人に親切にしようと思うのは自分が弱いから、かもしれない。

良いと言われていることをしたり、誰かに手を貸してあげたりするのは本当は自分が「いい人」に見られたいからじゃない？　それってホントに、親切なのかな？

善意があるだけ、それにひとしい弱さがある。『第三部　小さくする美徳』

目の前のことに
振り回されないようにするには
自分の中でよく噛み砕くこと。

いろいろな出来事があるけれど、降りかかってきたときには良いも悪いもわからない。ものさしだって、役に立たない。心の中で答えが出るまで、しばらく向き合ってみない？

わたしはいっさいの偶然を、わたしの鍋で煮る。その偶然がよく煮えたとき、わたしの食べ物として、賞味する。『第三部　小さくする美徳』

小さなことに
とらわれすぎないで。

安定とか平等とか、ちょっとしたこだわりとか、小さなことにとらわれないで。小さな器には、少しの水しか入らない。わざわざ、器を浅くする必要はないでしょ？

あなたがたはますます小さくなる！（中略）あなたがたは亡びつつあるのだ、――あなたがたの多くの小さな美徳によって、あなたがたの小さな等閑視によって、あなたがたのかずかずの小さな忍従によって！『第三部　小さくする美徳』

誰よりも、何よりも、
自分をちゃんと
愛してあげよう。

愛は、自分以外の誰かに向かうだけじゃない。ありのままの自分を、ちゃんと愛そう。大事だけれど、なかなか気付けない自分に向けた、愛のベクトル。物語は、そこから始まるのだから。

何よりもまず、自分自身を愛する者となってくれ――。『第三部 小さくする美徳』

不運に見舞われても、
心は誰も傷つけられない。
だから、不運を恐れすぎないで。

「どうして私だけ……」と思うような、不運なできごと。まだ見ぬ未来までも不安になるかもしれないけれど恐れすぎないで大丈夫。不運はまわりにあるだけ。あなたが心を強く持てば心まで傷つけられることはない。

偶然が、わたしのところにくるのをとめてはならない。偶然は幼な子のように無邪気だ！『第三部　オリブ山で』

孤独でない人など、どこにもいない。誰もが、それぞれ孤独を感じている。

誰かが去って孤独を感じる人もいれば、去っていく人が感じる孤独もある。あなただけが、孤独なんじゃない。いろいろな人が、いろいろな理由で、さみしがっている。

病める者が人びとを避ける孤独もあるが、それとは別な、病める者から身をひく孤独もある。『第三部　オリブ山で』

終わってしまった愛に
しがみつかないこと。

悲しいけれど、いつか終わりを告げる愛もある。そのときは、しがみついたり、落ち込んだりせず、そっと静かに忘れよう。

もはや愛することができないときは、――しずかに通りすぎることだ！『第三部　通過』

あなたがあなたを愛したら、
生きることは
とても簡単になる。

自分が考えることを、最優先にしよう。誰かが決めた価値観からも、よくわからない既成概念からも、本当は価値のない価値からも、距離を置いて自分を愛して、貫こう。そうすれば、人生はずっと生きやすい。

軽くなり、鳥になりたいと思う者は、おのれ自身を愛さなければならない。『第三部　重力の魔』

自分を押さえつけたって良いことは何一つない。

世間体や、誰かの評価のために自分を曲げて、狭い箱に閉じ込めたってずっとそんな風には、生きられない。今よりもっと欲張りに、ありのままの自分を愛そう。

ひとは自分自身を、すくすくとした健康な愛によって愛することを学ばなければならない。『第三部　重力の魔』

自分にとって大切なものは、
自分ですら
気づかないことがある。

自分のことだから、なんでも理解できているわけじゃない。無意識の中の、心のずっと奥深くに本当のあなたが、いるかもしれない。大切だから、人目にふれさせずそっと隠されている宝石のように。

ほんとうの自分のものは、自分の手がたやすくとどかぬように、たくみに隠されているからである。『第三部　重力の魔』

あなたひとりで
頑張りすぎないで。

頑張り屋さんほど、たくさんの苦労を背負おうとする。ときには他人の苦労まで、背負おうとする。その優しさや努力や、忍耐をもっと素敵なことに使おう。今は砂漠のように見える道にも美しい花が、咲く日がくるから。

人間が自分で自分を重くしているだけのことだ！　それは、かれがあまりにも多くの他人のものを、自分の肩にのせて行くからだ。
『第三部　重力の魔』

少しずつ、少しずつ。
もどかしくても、つまらなくても、
前へ進む自分をホメてあげよう。

空を飛ぼうと思っても、いきなり飛べる人はいない。地味でつまらない毎日も大切にしよう。その時間もまた、前に進んでいるのだから。

いつか空を飛ぼうとする者は、まず、立ち、歩き、走り、よじ登り、踊ることを学ばなければならない。——いきなり飛んでも飛べるものではない！『第三部　重力の魔』

人生は真っ白な
キャンバスに
自由に絵を描くようなこと。

人生をどうデザインするかは、あなた次第。何を描くか、何色に塗るか、自由に筆を動かしてみよう。イメージと違ったら、どんどん塗り重ねてあなたの絵を描こう。

意志することは、自由にすることだ。なぜなら意志することは、創造することだから。これがわたしの教えである。そして、あなたがたはただ創造するためにのみ、学ぶべきなのだ。『第三部 古い石の板と新しい石の板』

愛を語るなら、
愛し合うことより、
愛し続ける試みを語ろう。

誰だって愛したいし、愛されたい。愛し合っていることを目指すなら愛し続けるために、何かをしよう。愛が終わる日が来るなんて、これっぽっちも想像せずに。

わたしたちは愛しあっている。ということは、愛しつづけるように試みよう、というわけです！『第三部　古い石の板と新しい石の板』

最悪でも、最善でも、どっちもたかが知れたこと。

ベストもワーストも自分の価値観でしかない。所詮、自分の価値観にすぎないのだからそればかり見ていると道を間違えることもある。

ああ、人間における最悪といっても、じつに知れたものではないか！　ああ、人間における最善といっても、じつに知れたものではないか！『第三部　快癒に向かう者』

わかったつもりに
なることは
わからないことよりキケン。

仕事でも、恋愛でも、わかったつもりにならないこと。そうなるくらいなら、「何も知らない」と謙虚な気持ちでいたほうが物事はずっとうまくいく。

多くのことを中途半ぱに知るくらいなら、何もしらないほうがましだ！『第三部　蛭』

「いつかは……」と
思っているうちは
“いつか”なんて、永遠にこない。

あなたの夢は、どんなこと？　チャレンジしよう。小さなことでもいいから、始めてみよう。その一歩が、人生にはずみをつけるはず。

手のひらほどの基礎。それだけあれば、ひとはその上に立つことができる。『第三部　蛭』

小さな幸せを
ちゃんと喜ぼう。

取るに足りない小さなことも、楽しさや幸せ、うれしさを心の中で感じよう。そうすれば、日々は幸せの連続になるから。小さな悩みのひとつくらいは、消えるかもしれない。

ほんのわずかなものが至高の幸福を生みだすのだ。『第四部　正午』

悲しくて悔しくて、
どうしようもないときは
自分を誇りに思おう。

何かに絶望して悲しくてたまらないときは自分を誇りに思おう。そんなにも、努力して「あきらめる」という道を選ぼうとしなかったのだから。

あなたがたが絶望におちいっていること、そこには多大の敬意を払うべきものがある。なぜなら、あなたがたはあきらめることを学ばなかったのだから。『第四部　「ましな人間」について』

「やるべきこと」を
見つけるのもいいけれど
「やらないこと」を見つけるのも大事。

人生はあっという間。他人が決めた、勝手な考え方に付き合っている余裕なんてない。しなくてもいい気遣いや、つまらない人間関係はかかわらないでおくのもひとつの手。

小さな美徳を克服せよ。ちっぽけな知恵、砂粒のような配慮、蟻のうごめき、あわれむべき快適、「最大多数の幸福」を！『第四部　「ましな人間」について』

知識や経験がないからこそ できる冒険もある。

変に知識を得てしまうと冒険的な発想は浮かばない。知らないからこそ、できることをいっぱいしよう。

わたしがあなたがたを愛するのは、あなたがた「ましな人間」たちが、いまの世に生きるすべを知らないからだ！　ということは、つまりあなたがたこそ——最もよく生きているからだ！『第四部　「ましな人間」について』

見せかけの大胆さで
自分をごまかさない。

大胆になることは大事なことだけど中身が伴わないのは、意味がない。自分の限界ギリギリに挑むのは怖いけれどそこまでやってこそ、得られるものも大きい。

恐怖を知っていて、しかも恐怖を克服する者が大胆なのだ。『第四部　「ましな人間」について』

すべての言葉は、口から出てしまえばもう、取り戻せない。

口を慎んだほうが良い場面もある。あなたからは、言わないほうが良いこともある。口から出てしまえば、もう取り返しがつかないから、言葉は相手を見て話そう。

すべてのことばが、すべての口にふさわしいというものではない。
『第四部 「ましな人間」について』

ミラクルを期待しても、自分の能力以上のことは起こらない。

大きなことを成し遂げようと思ったとき、ミラクルを待っている人がいる。残念ながら、世の中というものは持っている能力に見合うことしか起こらない。

あなたがたの能力をこえたものを欲するな！『第四部 「ましな人間」について』

きれいにラッピングしたって、
虫食いのりんごは、
虫食いのまま。

流行のメイクやファッションをして、きれいなアクセサリーをつけて、立派な言葉を使っても、自分は自分。内側から変えていかなきゃ、変わらない。

（筆者注：自分の能力以上のものを望む者は）かれらは自分自身に対しても虚勢をはる。横目を使い、うわべだけりっぱな虫食いの果実となる。強烈な言葉、美徳の看板、燦然《さんぜん》としたまやかし仕事のかげにかくれる。『第四部　「ましな人間」について』

みんなの「当たり前」を、「当たり前」なんて思わなくていい。

みんなが「当たり前」と思っていることの中には、意味のないこと、変なこともいっぱいある。それを覆すのはとうてい無理。でも変だ、と思える気持ちを忘れずに。

賤民がかつて理由もなく信じたことを、誰がいまさら理由によって——くつがえすことができるだろう？『第四部 「ましな人間」について』

嘘をつかないからって、誠実ってわけじゃない。

人を愛することにおいて、嘘を言わないことはイコール誠実、ではない。嘘を言えないだけ、ということもあるのだから。

嘘をいう力がないというだけでは、真理への愛には、ほど遠い。用心が必要だ！『第四部 「ましな人間」について』

地道な努力が
報われる日は必ずやってくる。

地道な努力を、怠らないようにしよう。あとになって必ず報われる。あなたが必死に頑張る姿を、今は誰も見ていなくても、今は誰もホメてくれなくても。

あなたは馬で登ったというのか？　いそいで目標につくのは、これにかぎるというのか？（中略）目標について、馬から飛びおりるとき、「ましな人間」よ、ほかならぬあなたの山頂で――　あなたはころぶだろう！『第四部　「ましな人間」について』

人のために何かをするより、自分がしたいことをするほうが、ずっとハッピー。

どんなに優しい気持ちがあっても、誰かのためを思ってする行動には「してあげる」という上から目線が入ってしまう。無意識のうちに見返りも求めてしまう。自分がしたいことをしよう。そのほうがハッピーだから。

「……のために」を忘れることだ。『第四部 「ましな人間」について』

スルーするのも、
大切な能力。

たくさんの情報が行きかう世の中で小さな嘘や、いつわりの言葉と出会うこともある。そっと耳をふさいで、やりすごして。本当に大切なことを、キャッチするために。

いつわりの小さな言葉に対して、あなたがたの耳をふさぐべきだ。
『第四部 「ましな人間」について』

やるべきことは、いっぱいある。
仕事を愛そう。
自分の生き方を、愛そう。

他人のことにかまけていないで自分の仕事を、思いを、生き方に目を向けよう。目の前のことから、目をそらさないで。きっと「よかった」と思える日が来るから。

あなたがたの仕事、あなたがたの意志こそ、あなたがたの最も近い「隣り人」なのだ。『第四部　「ましな人間」について』

「いいことないかな」と
思っているうちは
いいことは起こらない。

奇跡が起こることを期待しても、現実はそう甘くない。それなのに、人はついつい「やればできるかも」と期待してしまう。そうじゃなく、期待するより行動してみると、未来はちょっと、変わってくるかもね。

できそうもないことをおのれに要求するな！『第四部 「ましな人間」について』

人生の先輩を持とう。

世の中にお手本なんてないけれどお手本にしたい人を見つけよう。真っ暗なトンネルの中に迷い込んだとき、きっと光を放って、あなたを導いてくれるから。

あなたがたの祖先の徳がすでに残した足跡をたどるがいい！　祖先の意志が、あなたがたとともに登るのでなければ、どうしてあなたがたは高く登ることができるだろう？『第四部　「ましな人間」について』

人は、さみしいと
おかしくなる。

孤独と向き合うことは、とても大切なこと。でも、孤独の中にいると、人はつい余分なことを考えて心の中に、獣を飼うようになる。その牙が、自分や誰かに向けられることのないように気をつけよう。

孤独のなかでは、ひとがその孤独のなかに持ちこんだものも生長する。内なる獣も生長する。『第四部　「ましな人間」について』

何かダメなことがあっても
あなたがダメってことじゃない。

大きな失敗をして叱られてもあなたの人格が否定されるわけじゃない。落ち込んだときほどそう思ってしまいやすいものだけどあなたはあなたを、信じてあげて。

あなたがたが大きなことに失敗したとしても、だからといってあなたがた自身が――失敗だというわけだろうか？『第四部「ましな人間」について』

自分の中で
化学反応を起こそう。

たしかな愛情、ふかい洞察、星のように高く掲げられた理想。組み合わさったり、ぶつかり合ったりしてあなたという人が作られる。どんな化学反応が起こるか楽しみに、今日を思いっきり楽しもう。

人間の最もはるかなもの、最も深いもの、星のように高いもの、その途方もない力、そうした一切があなたがたの壷のなかでぶつかりあって沸騰していはしないか？『第四部　「ましな人間」について』

幸せが見つからないのは
捜し方が良くないだけかも
しれない。

愛や幸せ、希望といったものはあなたのまわりにも、いっぱいある。もし、ひとつも見つからないような気がするときは捜し方を変えてみよう。きっと、見つかるはずだから。

その人は地上で、みずから何ひとつ笑いの種を見つけることができなかったのか？　もしそうだとすれば、捜しかたがまずかっただけのことだ。『第四部　「ましな人間」について』

いろんな愛の スタイルがあっていい。

「私のこと、好き？」なんて、つい聞いてしまいがちだけれど、それを聞いてどうするの？　一緒にいること、楽しそうな笑顔、それもきっと愛のうち。

いったい愛することができないといって、すぐに呪わなければばならないものか？　それは——悪趣味だと、わたしには思われる。『第四部　「ましな人間」について』

恋がうまくいく方法は たったひとつ。

もっと愛されたい。もっとやさしくしてほしい。もっと連絡がほしい。なんて言葉よりも、「愛してる」の一言で恋はもっと、ずっと楽しくなる。

かれらは踊ることを知らない。こうした連中にとって、どうして地上が軽快なものとなるだろう?『第四部 「ましな人間」について』

廻り道にだって、意味がある。

偉人や天才だって、廻り道や寄り道をせずに一直線にゴールまで行けた人はいない。今、いる場所だって、きっと意味がある。

すべての良いものは廻りみちをして、その目標に近づく。『第四部 「ましな人間」について』

アンラッキーを飛び越えよう。

アンラッキーなことは、必ず起こるけれど、軽々と飛び越えることもできる。毎日、着実に走る練習を重ねて飛ぶように駆けていくハードル走者のように。

たとえ地上に沼地があり、深く淀んだ悲哀があろうとも、軽快な足を持った者は、泥をとびこえ、磨かれた氷上にあるかのように踊る。『第四部 「ましな人間」について』

未来を選ぶのは、
いつだってあなた。

他の誰のマネでもない、オリジナルの存在になろう。なりたい自分を宣言するのは夢をかなえる第一歩。

哄笑する者のこの冠、この薔薇《ばら》の花の冠。わたしは自分でこの冠を自分の頭上にのせた。わたしは自分で、わたしの哄笑を神聖だと宣言した。『第四部　「ましな人間」について』

他人からどう見えるか、なんて考えなくてもいい。全力で幸せをつかもう。

幸せを手に入れるために、カッコ悪いことがあっても気にしないで。失いそうになってからジタバタするより、ずっとずっとカッコいいから。

幸福を前にして滑稽になるのは、不幸を前にして滑稽になるよりましだ。『第四部 「ましな人間」について』

自分で道を切り開こう。
不可能はきっと、
可能にできる。

運命は、与えられるものではなくて自分で選びとっていくもの。それを覚えていれば、未来はきっと願ったとおりになる。きっと、笑顔になれる。

なんと多くのことが、まだまだ可能であることか！　だから、あなたがた自身を超えて笑うことを学びなさい！『第四部　「ましな人間」について』

涙のあとには、必ず良いことがある。

月のあとには太陽がのぼるように、悲しみのあとには喜びが、涙のあとには笑顔が、必ずやってくる。「もうダメかも」と思ったときほど、明日を信じてみよう。強く、強く。

万物は鎖でつなぎあわされ、糸で貫かれ、深く愛しあっているのだ。『第四部　酔歌』

幸せを失うことを
恐れるより幸せが
永遠に続くように願おう。

目の前の幸せを、もっと愛そう。幸せと思えることを、もっと喜ぼう。悲しみが訪れたら、その後に訪れる幸せを期待するくらい欲張りに願ったほうが、幸せはあなたのもとにやってくる。

よろこびはすべての嘆きにまさって、渇いている。切実である。飢えている。『第四部　酔歌』

幸せは、
悲しみのあるところに
少しだけ早くやってくる。

幸せというものは、不思議と悲しみを抱えた人のところに舞い降りる。だから涙をふいて、幸せを待とう。今はきっと、幸せの一歩手前だから。

すべてのよろこびは自己自身を欲しているからだ。『第四部　酔歌』

人生は、私たちに与えられた
かけがえのないギフト。

人生は、かけがえのないギフト。何もしないで生きるよりも、思いっきり自分に投資をしてこのギフトを楽しみ尽くそう。

賤民の出の者は、無償で生きようとする。しかし、われわれそうでない者は、人生という贈り物を与えられたと考え、いつもこれに対して、何を報いたらいちばんいいかと考える！『第三部　古い石の板と新しい石の板』

さぁ、扉を開いて外に出よう！

みんながしていることが、正しいわけじゃない。もっと広い世界を見てあなただけの宝物を見つけよう。

あなたがたは、かれらの欲望の口もとから出てくる毒気のなかで窒息する気なのか？　むしろ窓を打ち破って、外へ飛びだすがいい！『第一部　新しい偶像』

ニーチェ著／氷上英廣訳
『ツァラトゥストラはこう言った（上・下）』（岩波文庫）から
訳文を転載しました。訳文にある筆者注は、氷上氏によるものです。

ブックデザイン　福間優子
編集協力　G.B.
原稿協力　赤木麻里

ハローキティのニーチェ
強く生きるために大切なこと

2014年 8月30日　第1刷発行
2025年 8月30日　第21刷発行

編　者　朝日文庫編集部
発行者　宇都宮健太朗
発行所　朝日新聞出版
〒104-8011　東京都中央区築地5-3-2
電話　03-5541-8832（編集）03-5540-7793（販売）
印刷製本　株式会社DNP出版プロダクツ

Published in Japan by Asahi Shimbun Publications Inc.
ISBN978-4-02-264742-9
＊定価はカバーに表示してあります
落丁・乱丁の場合は弊社業務部（電話03-5540-7800）へご連絡ください。
送料弊社負担にてお取り替えいたします。